MIS PRIMERAS PÁGINAS

Título original: *Celestino*

© Febe Sillani
© Edizioni EL, 1995 (obra original)
© Hermes Editora General S. A. - Almadraba Editorial, 2009
www.almadrabaeditorial.com
© Clara Vallès, por la traducción del italiano

Impreso el mes de febrero de 2009

ISBN: 978-84-9270-238-1
Depósito legal: B-15.207-2009
Printed in Spain

CELESTINO

Febe Sillani

Almadraba
INFANTIL JUVENIL

CELESTINO SALE
CORRIENDO DE CASA.

SE VA A JUGAR
CON SUS AMIGOS.

SUS AMIGOS SON
EL HIPOPÓTAMO NICOLÁS,
LA JIRAFA RITA
Y EL TIGRE ENRIQUE.

JUNTOS SE VAN AL RÍO
A DAR UNA VUELTA.

«¡HAY UN HUEVO
EN LAS HOJAS!», DICE
CELESTINO. «SE DEBE DE
HABER CAÍDO DE ESE NIDO.»

EN EL NIDO ESTÁ
LA SEÑORA COTORRA.

SU HUEVO ES AMARILLO
Y ROSA. ES MUY BONITO.

«QUIZÁ HAYA BAJADO
RODANDO POR LA
MONTAÑA», DICE ENRIQUE.
«DEBE DE SER EL HUEVO
DEL ÁGUILA LINA.»

TODOS EMPIEZAN A SUBIR
POR EL SENDERO.

EL ÁGUILA LINA
ESTÁ ENSEÑANDO A VOLAR
A SUS AGUILUCHOS.

SERÁ MEJOR NO MOLESTARLOS.

EL HUEVO NO ES SUYO.

CELESTINO Y SUS AMIGOS
VAN A VER AL AVESTRUZ.

EL AVESTRUZ ESTÁ INCUBANDO
UN HUEVO BLANCO Y GRANDE.

«ESE HUEVO NO ES MÍO»,
DICE EL AVESTRUZ.

EL HIPOPÓTAMO NICOLÁS
ESTÁ CANSADO
Y TIENE HAMBRE:
«PODRÍAMOS HACERNOS
UNA TORTILLITA…», DICE.

PERO… ¡EL HUEVO EMPIEZA
A ABRIRSE!

A LO MEJOR,
EL HIPOPÓTAMO NICOLÁS
LO HA COGIDO ¡DEMASIADO
FUERTE!

¿QUÉ VA A PASAR AHORA?

DEL HUEVO SALE
UN PEQUEÑO COCODRILO.

«¡MAMI!», DICE EL PEQUEÑO
COCODRILO A CELESTINO.

POR SUERTE LLEGA CAMILA,
LA SEÑORA COCODRILO.

«¡AY, MI CHIQUITÍN!
¡NO ENCONTRABA MI HUEVO
POR NINGUNA PARTE!»

EL PEQUEÑO COCODRILO
SE QUEDA DORMIDO
JUNTO A SU MAMÁ.

CELESTINO Y SUS AMIGOS
YA PUEDEN MERENDAR.

…¡Y AHORA, A JUGAR!

EL PEQUEÑO COCODRILO
SE HA PERDIDO.

AYUDA A MAMÁ CAMILA
A ENCONTRARLO.

UNE CADA ANIMAL CON SU HUEVO.

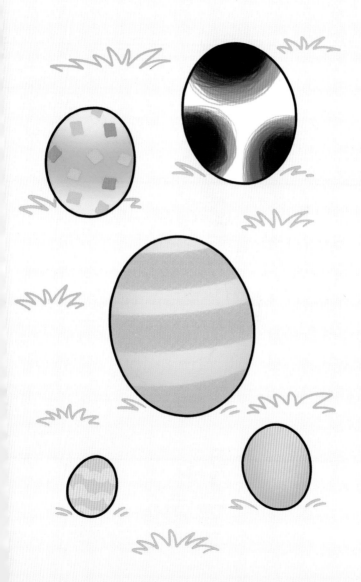

¿ADÓNDE VA EL HIPOPÓTAMO NICOLÁS?

SIGUE EL HILO
Y LO DESCUBRIRÁS.

MIS PRIMERAS PÁGINAS

PUEDES SEGUIR
JUGANDO EN LA WEB
www.misprimeraspaginas.com

ENTRA Y DESCARGA
LA **FICHA DE LECTURA** Y MÁS
PROPUESTAS DE ACTIVIDADES.

Almadraba
INFANTIL JUVENIL